D1233195

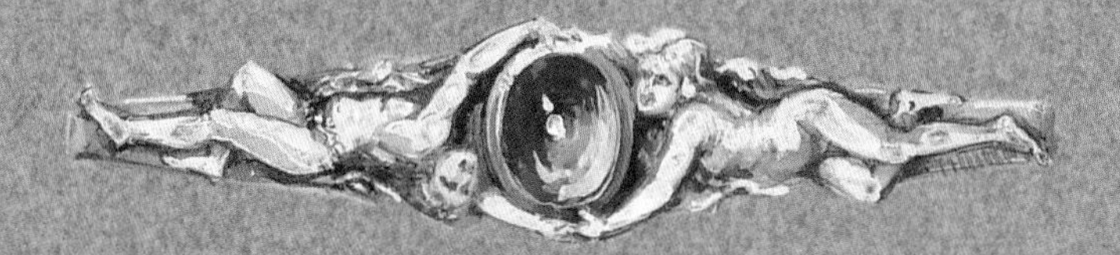

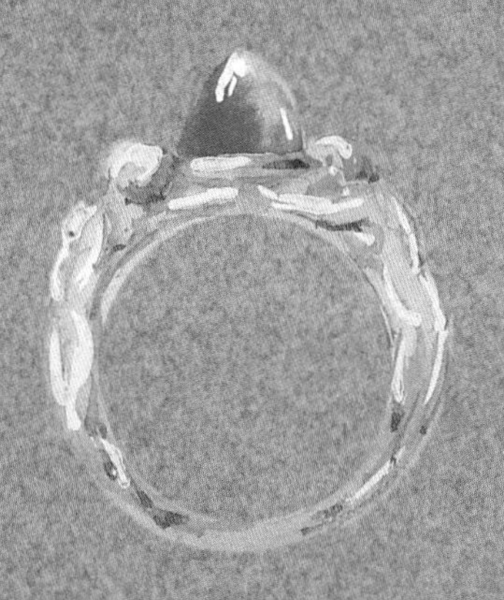

Anneaux et Bagues

dessins de la maison Robin, 1835-1910

DANS LA MÊME COLLECTION

MUSÉE DES ARTS DÉCORATIFS

BOTANIQUE ET ORNEMENT
DESSINS

ÉPINGLES DE CRAVATES
BIJOUX

LE CARNET DES TASSES
AQUARELLES

BORDURES ET FRISES
PAPIERS PEINTS

FLEURS ET MOTIFS
PAPIERS PEINTS

DOMINOS
PAPIERS IMPRIMÉS

ANIMAUX-BOÎTES
PORCELAINE

MUSÉE GUIMET

PASSION MANDCHOUE
FLACONS À TABAC

CHÂTEAU DE VERSAILLES

TABLEAUX DE PIERRES DURES

MUSÉE DES BEAUX-ARTS DE ROUEN

PRÉSENCE DE L'ICÔNE

MUSÉE DES ARTS D'AFRIQUE ET D'OCÉANIE

BRODERIES MAROCAINES
TEXTILES

COLLECTION DIRIGÉE PAR SYLVIE MESSINGER

CONCEPTION GRAPHIQUE ET DIRECTION ARTISTIQUE : DIDIER CHAPELOT
COORDINATION MUSÉE DES ARTS DÉCORATIFS : MARIE-NOËL DE GARY
PHOTOGRAPHIES : LAURENT SULLY-JAULMES, MUSÉE DES ARTS DÉCORATIFS
PHOTOGRAVURE : G.E.G.M.
COMPOSITION : L'UNION LINOTYPISTE

IMPRIMÉ EN AVRIL 1992
SUR LES PRESSES DE MAME IMPRIMEURS
À TOURS
ISBN : 2-7118-2566-3

ANNEAUX ET BAGUES

dessins

MUSÉE DES ARTS DÉCORATIFS

« Ne donne un baiser, m'amie
que la bague au doigt »

INTRODUCTION

par Marie-Noël de Gary
conservateur au musée des Arts décoratifs, Paris

« LA BAGUE AU DOIGT » est une expression qui ne date pas d'hier. Le don d'une bague lors de promesses d'épousailles est mentionné dans la Bible, et avec la propagation de la foi chrétienne, l'usage se généralise : *« Par cet anel l'Eglise enjoint – que nos deux cœurs en un soient joints – par vrai amour et loyale foy. Pour tant je te mets en ce doy. »* L'anneau échangé lors de la cérémonie du mariage est le signe d'un engagement mutuel, il est porté à l'annulaire – *anularis*, doigt propre à l'anneau – depuis qu'une croyance erronée fit penser que du quatrième doigt de la main gauche partait une veine qui allait droit au cœur, et la tradition veut que cet anneau ne soit plus ôté.

La bague est l'un des bijoux le plus chargé d'histoire, et depuis son origine où elle servait de sceau, on lui a attribué bien des mérites, on l'a associée à des rituels païens, religieux ou magiques. Symbole de croyance ou d'appartenance, insigne de reconnaissance, objet de pouvoir ou de protection, gage de fidélité, d'amitié ou d'amour. Les contes et légendes sont remplis de récits où elle a une signification et un pouvoir particuliers. Jupiter passe au doigt de Prométhée un anneau de fer en signe d'esclavage. Salomon lui doit sa sagesse. Polycrate, qui avait tenté de conjurer la Destinée en jetant à la mer son émeraude gravée, la retrouve dans la chair d'un poisson servi à sa table et, dans le conte de Charles Perrault « Peau d'Ane », pour se faire reconnaître comme princesse par le fils du roi, laisse tomber dans la pâte d'une galette sa fine bague d'or.

Les traditions subsistent dans les rituels, les cérémonies et les fêtes. L'anneau du Pêcheur qui sert de sceau pontifical, symbole à la fois de soumission spirituelle et de puissance temporelle, est, selon la coutume, toujours brisé à la mort du pape. Venise commémore encore chaque année, à l'Ascension, le jour où le doge, pour célébrer ses épousailles avec l'Adriatique, jeta dans la mer un anneau reçu du Patriarche. Les manèges d'enfants gardent le souvenir du jeu de bagues des carrousels.

Le terme générique d'anneau est souvent employé aujourd'hui, d'une manière restrictive, pour désigner les joncs, demi-joncs et toutes sortes de rubans plus ou moins larges, lisses ou ornés. Le mot bague, plus récent, désigne plus particulièrement un anneau sur lequel est fixé un chaton serti ou non d'une pierre. La plus classique des bagues, création des temps modernes, est celle ornée d'un diamant monté en solitaire, dont le nombre plus ou moins important de carats est devenu signe de réussite sociale.

Les pierres précieuses ont une histoire à part car, bien souvent, elles ont été desserties et remontées sur d'autres parures au goût du jour, selon les exigences des générations successives, et les montures ont disparu. Les bagues à sujets, mieux conservées, ont excité la passion des collectionneurs et retenu l'attention des historiens. La mode à l'époque de la Renaissance est de porter des bagues à tous les doigts, sur toutes les phalanges et jusque sur les jointures. Les siècles suivants font preuve d'une plus grande sobriété et de peu de créativité dans ce domaine particulier. Au XIXe siècle, le goût de l'accumulation revient : le portrait de Mme de Sénonnes peint par Ingres permet d'en compter une dizaine mais, en 1887, le bijoutier Fontenay, dans son étude *les Bijoux anciens et modernes*, conseille la plus grande discrétion dans le port des bagues : « Les hommes en portent à peine et les femmes s'en parent avec une grande mesure, il est même reconnu que les gens de mauvais goût sont les seuls qui en portent beaucoup. » Le même Fontenay est cependant heureux de constater « qu'un homme de talent, Robin, sut, vers l'année 1835, rendre à la bague un beau et solide caractère. C'est de lui que date la résurrection de ce bijou dont la saine tradition semblait perdue ». Paul Robin, fils de Jean-Paul,

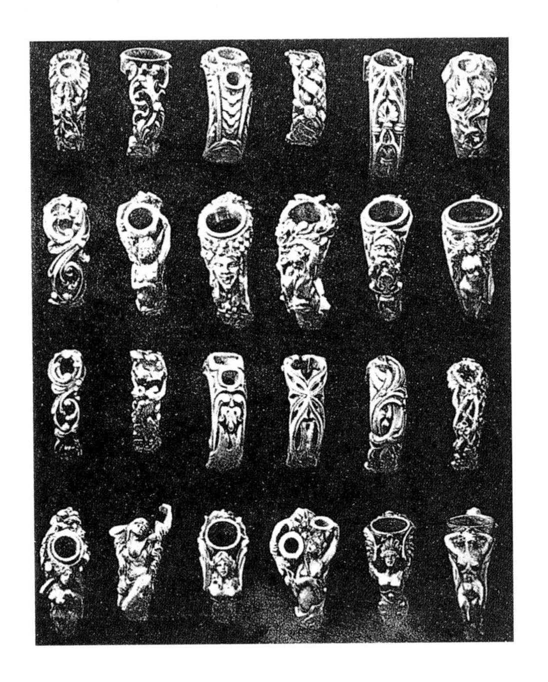

continue cette belle et nouvelle production comme en témoignent les dessins de plusieurs centaines de bagues, rassemblés dans les albums de modèles de bijoux de la maison Robin, conservés au musée des Arts décoratifs.

D'une famille qui compte à chaque génération plusieurs bijoutiers et négociants en pierres, Jean-Paul Robin, le père, s'installe en 1824 au Palais-Royal. « Il excellait dans la fabrication du bijou soigné ; il exécutait aussi d'une manière irréprochable le genre Renaissance, avec ciselure et émaux, la belle joaillerie, les bagues riches dont il s'était fait presque une spécialité. Son genre obtint sous Louis-Philippe un succès qui augmenta encore sous le règne suivant. Des bracelets, des broches, des parures, qui dénotent une grande recherche et beaucoup d'ingéniosité, chose rare à cette époque. » (Vever, II, p. 262). Son fils Paul – Prosper-Paul de son véritable prénom – né en

1843, resté seul à la tête des affaires après la mort de son père et de son frère, fournit de nombreux détaillants parisiens et à l'étranger. « Sa compétence professionnelle, son amabilité et sa bonté le rendent sympathique à toute la corporation, qui l'a appelé familièrement "le grand Robin", en raison de sa belle prestance. » Il continua pendant le dernier tiers du XIXe siècle le même genre de fabrication soignée qui avait fait la réputation de la maison, des parures en onyx avec ornements de brillants, des bracelets-serpents et des fantaisies de toutes sortes : hiboux, trèfles, lézards, fers à cheval exécutés toujours avec la plus grande perfection. Ces bijoux d'or mat « genre anglais », simples, massifs et élégants avec une belle surface polie et unie étaient toujours très en vogue, et leur succès venait en partie de la belle tonalité de l'or jaune obtenue par « la mise en couleur » dont les secrets avaient été découverts en Angleterre par son père. La maison existe toujours en 1910, au 160, rue Montmartre et est reprise par Buguet et Cie.

Les créations de Robin permettent d'évoquer l'infinie diversité de ce type de bijou où se mêlent aux réminiscences du passé les nouveautés pleines de fantaisie, de charme et d'invention. La bague la plus populaire est évoquée ici avec la représentation d'un cœur tenu entre deux mains (p. 5), combinaison de la bague avec un cœur ou deux cœurs enflammés ou couronnés et de la bague « bonne foi », « fede » aux deux mains croisées, évoquant les fiancés se serrant la main pour symboliser l'union de deux familles. Les bagues en forme de nœud, symbole du lien d'amitié ou d'amour, sont également bien représentées (p. 11).

Par tradition, les bagues sentimentales s'ornent sur le chaton de rébus et de symboles, tels que la fleur d'une pensée ou un couple de tourterelles. D'autres à chaton ouvrant (p. 38) permettent, comme dans les médaillons de cou, de garder un secret. Ces bijoux, inspirés par les bagues-reliquaires, contiennent généralement des essences de parfum, des sels ou, derrière un cristal, une mèche de cheveux. Ils peuvent aussi dissimuler une devise ou des inscriptions telles que : « j'aime », « amour », « souvenir d'amitié », « je pense à vous » ou conserver le portrait de l'aimé, à moins qu'il ne s'agisse d'une bague

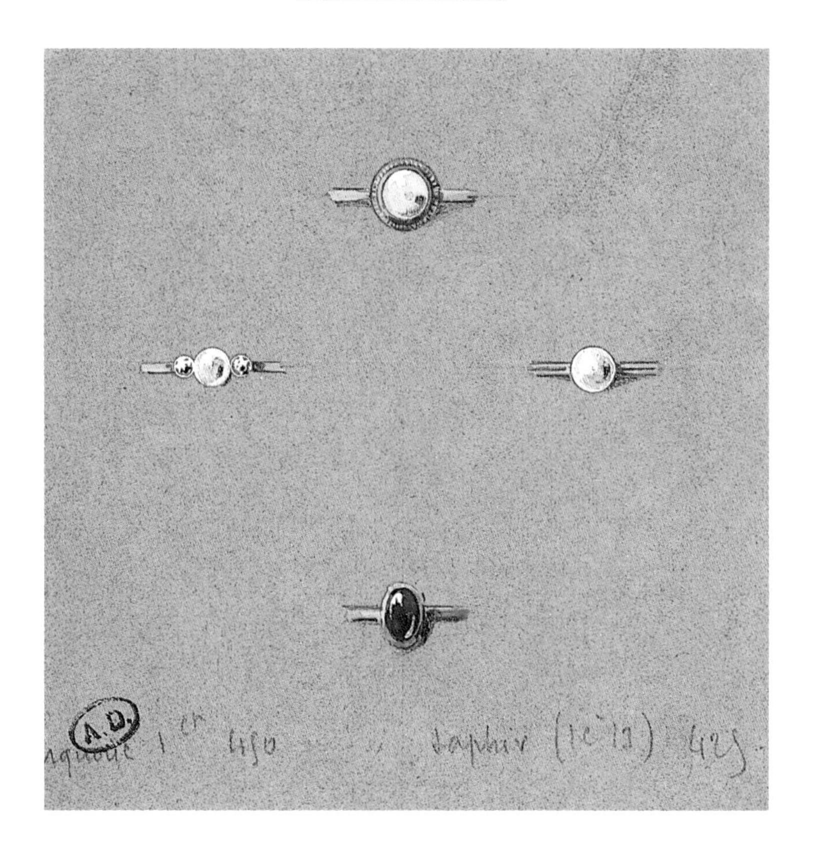

de deuil, donnée en souvenir du défunt, suivant une tradition qui remonte au XVe siècle. A ce groupe de bagues appartiennent également celles représentant une tête de mort appelées « memento mori » (p. 39).

Pour se protéger des malédictions dans l'Antiquité, les amulettes figuraient des divinités de bon augure ou des animaux : scarabée, lion, serpent. Au XIXe siècle, les bagues porte-bonheur se trouvent dans le groupe des bijoux dits « sportifs » avec les épingles de cravate et barrettes à motifs de chasse : chien courant, tête de cheval, fer à cheval (p. 14) et même des clous ! Il est vrai que, suivant de vieilles traditions paysannes, le clou de fer à cheval avait la propriété d'apporter la guérison.

Le bestiaire de Robin est très varié, plus que celui des autres bijoutiers contemporains, rien n'échappe à ses observations, de la gueule du lion (p. 41) aux serres de l'oiseau (p. 37), et il a une nette prédilection pour les reptiles. Modèle antique devenu populaire, le serpent lové ou déroulé sur le doigt n'a cessé d'être porté. On le trouve, inchangé, en 1928, dans le catalogue de la Manufacture de Saint-Etienne où il fait partie d'un « choix large et bien ordonné, pour tous les goûts et toutes les bourses », dont on a « exclu les modèles de genre trop tapageur ». Aujourd'hui, il est toujours un best-seller parmi les rééditions de nos musées.

En 1900, la bague-serpent, formée d'une spirale d'un beau poli et d'un cabochon de saphir ou d'émeraude (p. 28), était portée au petit doigt et faisait partie de la panoplie du dandy.

On sait que les hommes ont de tout temps porté des bijoux importants, mais au XIXe siècle, mis à part les décorations, les bijoux masculins sont à la fois utiles et décoratifs : montres, épingles de cravate, boutons. Cependant les bagues d'homme restent nombreuses et elles ne se distinguent des bagues de femme que par les dimensions de leurs motifs, par exemple d'importantes têtes d'animaux (pp. 40-41). Les plus courantes sont les chevalières. La chevalière, héritée de la bague-sceau, comporte généralement une devise, un emblème ou des armoiries gravés sur une pierre ou ciselés dans le métal. Elle a également donné sa forme en étrier à toute une série de bagues ornées portées par les hommes. Les plus séduisantes sont décorées de femmes nues (pp. 22 à 25, 45). Les figures féminines sont représentées depuis la civilisation gréco-romaine sur les camées et les intailles qui forment le chaton des bagues tandis que des caryatides et des déesses ornent les épaules de l'anneau. La Renaissance reprend et diffuse ces modèles, les gravures de Jacques Androuet du Cerceau, Etienne Delaune, René Boyvin et Pierre Woeiriot serviront à leur tour d'inspiration, au milieu du XIXe siècle, aux sculpteurs qui travaillent pour

les bijoutiers Morel et Duponchel, Wagner ou Froment-Meurice. Des exemples, d'un goût simplifié, sont publiés par le périodique *la Pandore*, vers 1860. En 1900, René Lalique compose le chef-d'œuvre du genre, un couple de danseurs nus soutenant une perle baroque.

Bague d'homme ou de femme, la distinction est difficile à faire, il semble bien que l'un comme l'autre ont porté indifféremment tous les modèles. Une illustration publiée par Henri Vever avec, comme légende, « bagues en or ciselé pour hommes » (p. 7), reproduit des modèles similaires à ceux de Robin, notamment une bague ornée de têtes de faune qui est conservée au musée des Arts décoratifs (p. 7). Marcel Proust évoquant les bagues d'Albertine a cru reconnaître sur l'une un masque grimaçant, sur l'autre les ailes déployées d'un aigle (*la Prisonnière*. t. III, p. 63, éd. de La Pléiade), preuve, s'il en est besoin, que tous les sujets sont portés indifféremment par tous.

De diamant, de verre ou de plastique, la bague est un bijou qui n'a pas fini de faire rêver. Quelle est la petite fille qui n'a pas enfilé à son doigt les anneaux aux couleurs vives qui servent à baguer les oiseaux et les bagues de papier doré des cigares de Havane ? Qui ne se souvient pas sans émotion d'avoir trouvé, enfant, sa première bague de pacotille dans une pochette-surprise ?

BIBLIOGRAPHIE

Eugène Fontenay, *les Bijoux anciens et modernes*, Paris, 1887.
Jean Szendrei, *Catalogue descriptif et illustré de la collection de bagues de Mme Gustave H. Tarnoczky*, Paris, 1889.
Henri Vever, *la Bijouterie française au XIXᵉ siècle*, 3 vol., Paris, 1906-1908, réédition Florence, 1975.
George-Frederick Kunz, *Rings for the Finger*, Philadelphie, 1917, nouvelle édition, New York, 1973.
Maximin Deloche, *la Bague en France à travers l'histoire*, Paris, 1929.
Charles Oman, *Catalogue of Rings* (in the Victoria and Albert Museum), Londres, 1930.
A. Ward, J. Cherry, C. Gere, B. Cartlidge, *la Bague de l'Antiquité au XXᵉ siècle*, Paris, 1981.
Shirley Bury, *An Introduction to Rings*, Victoria and Albert Museum, Londres, 1984.

PLANCHES

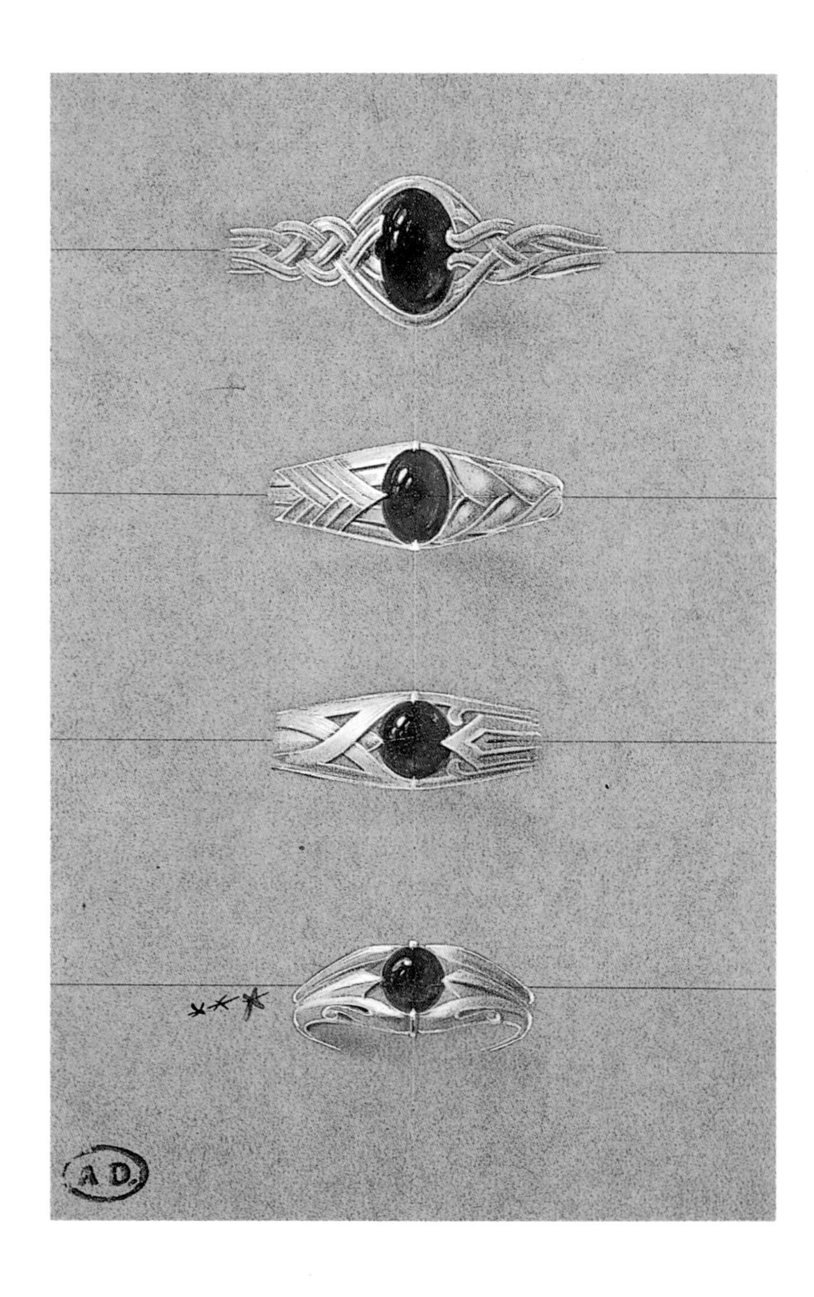

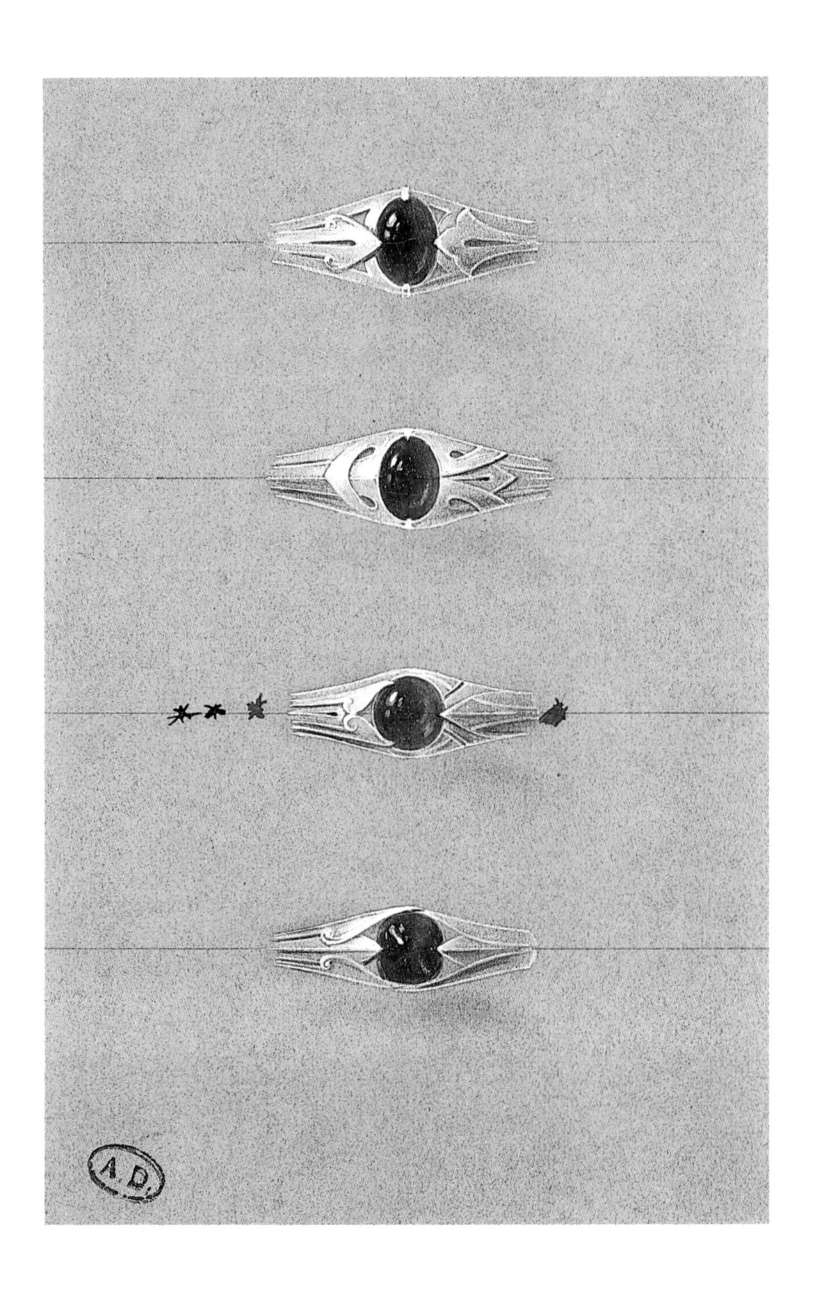
A.D.

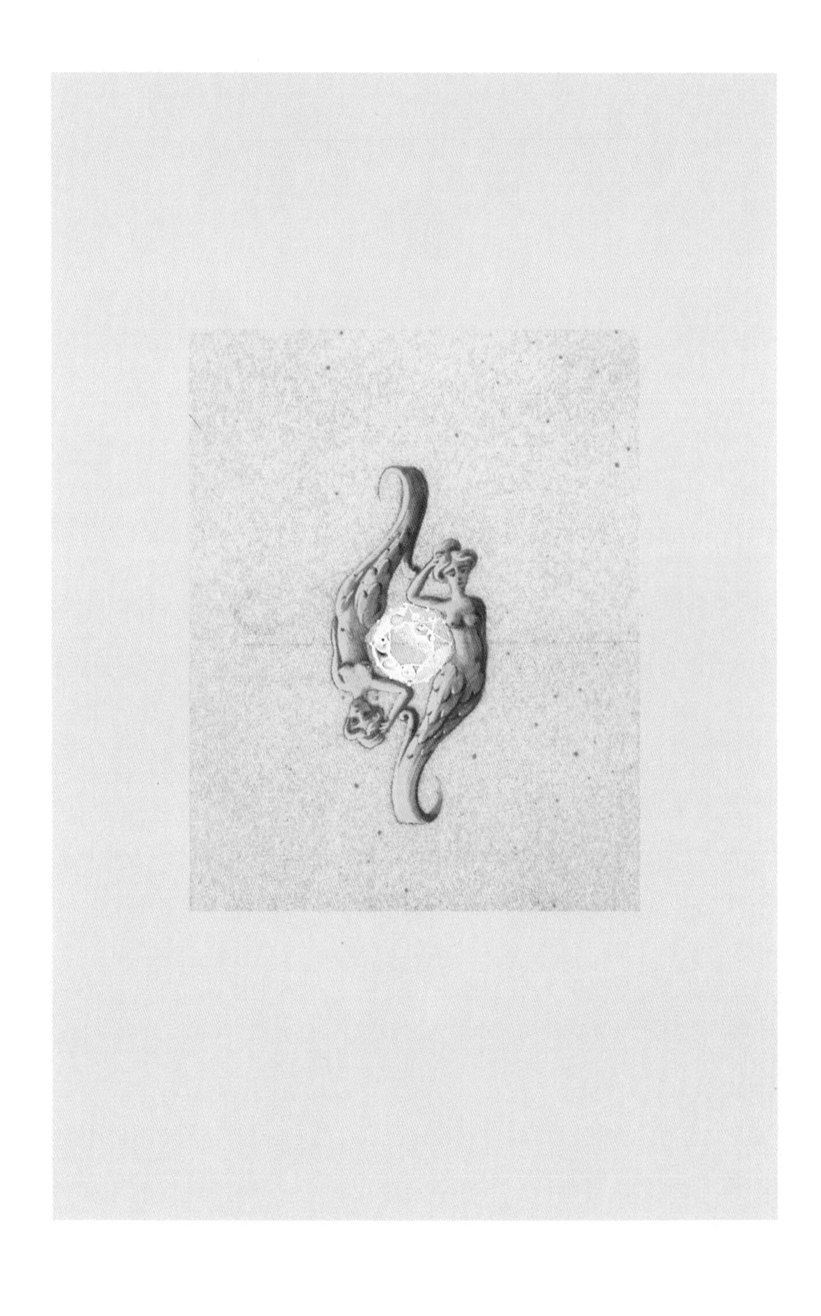

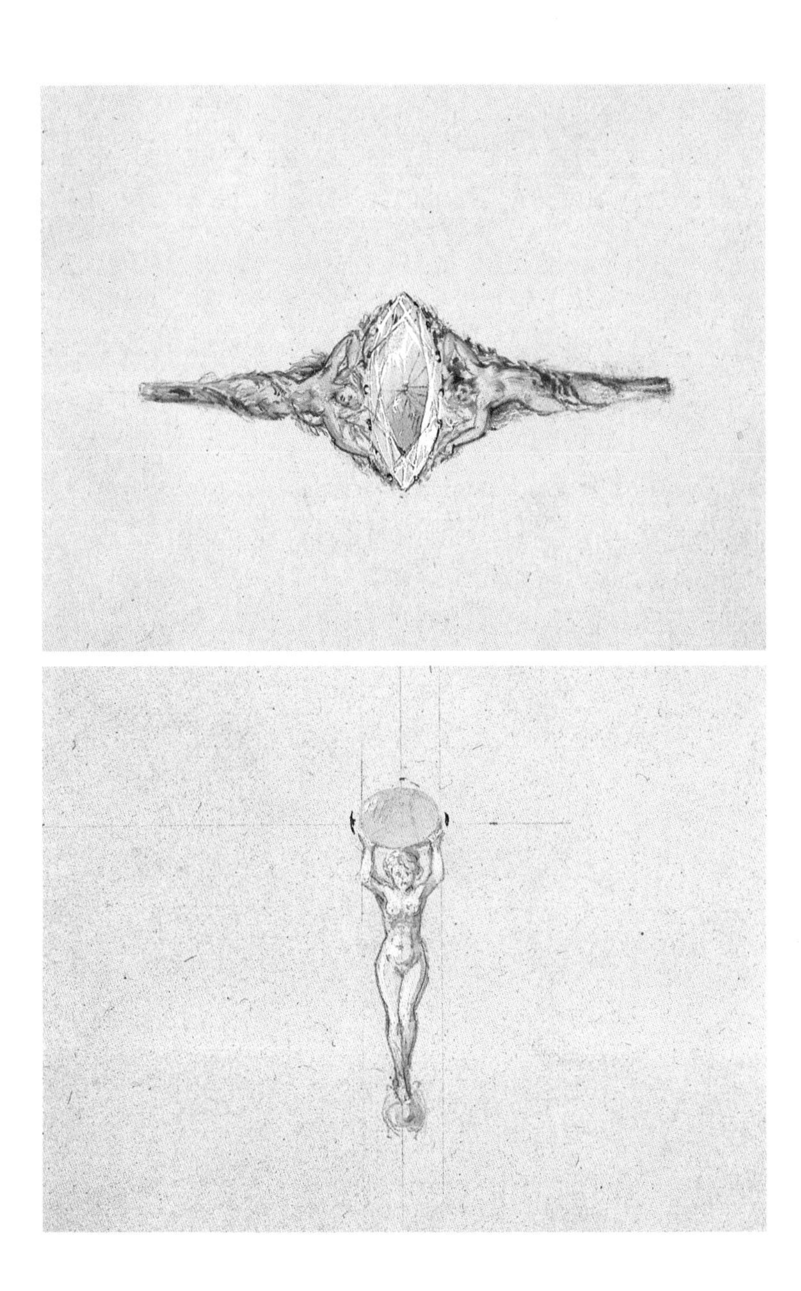

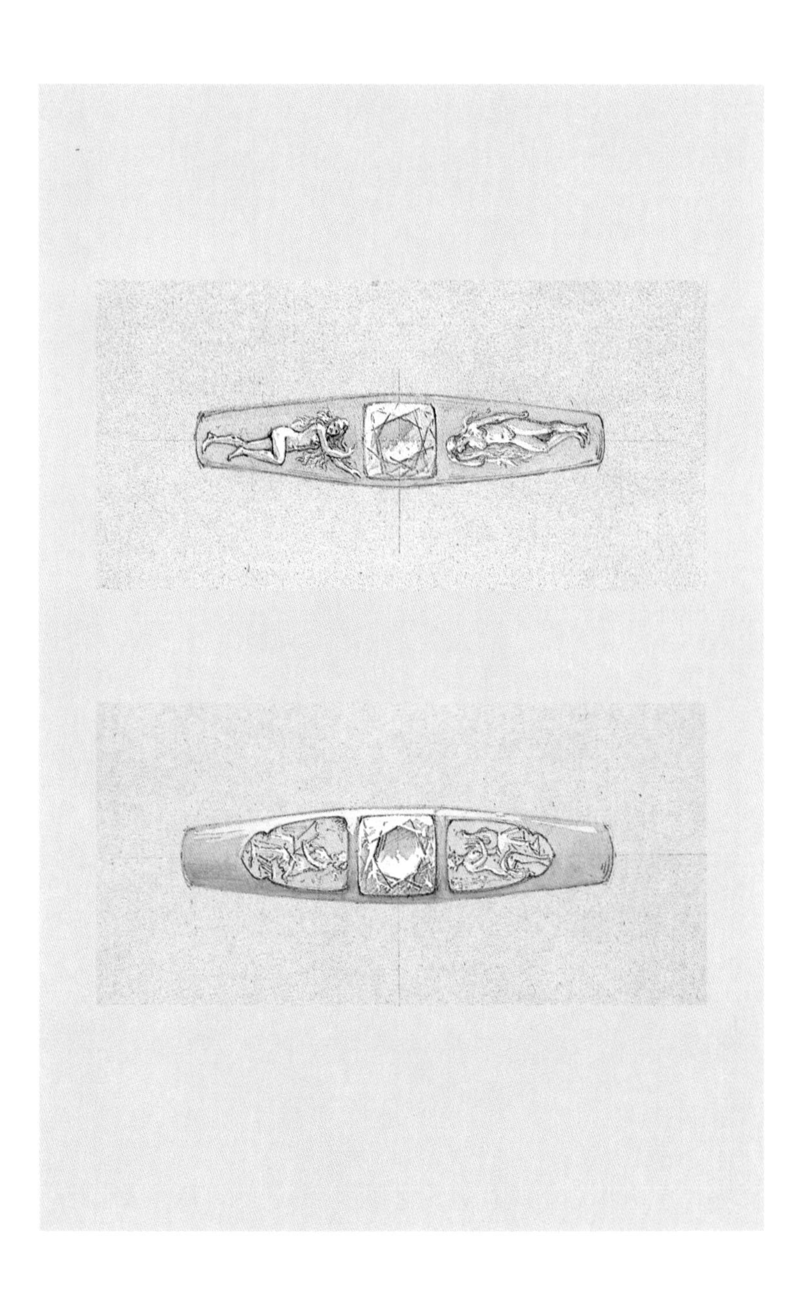

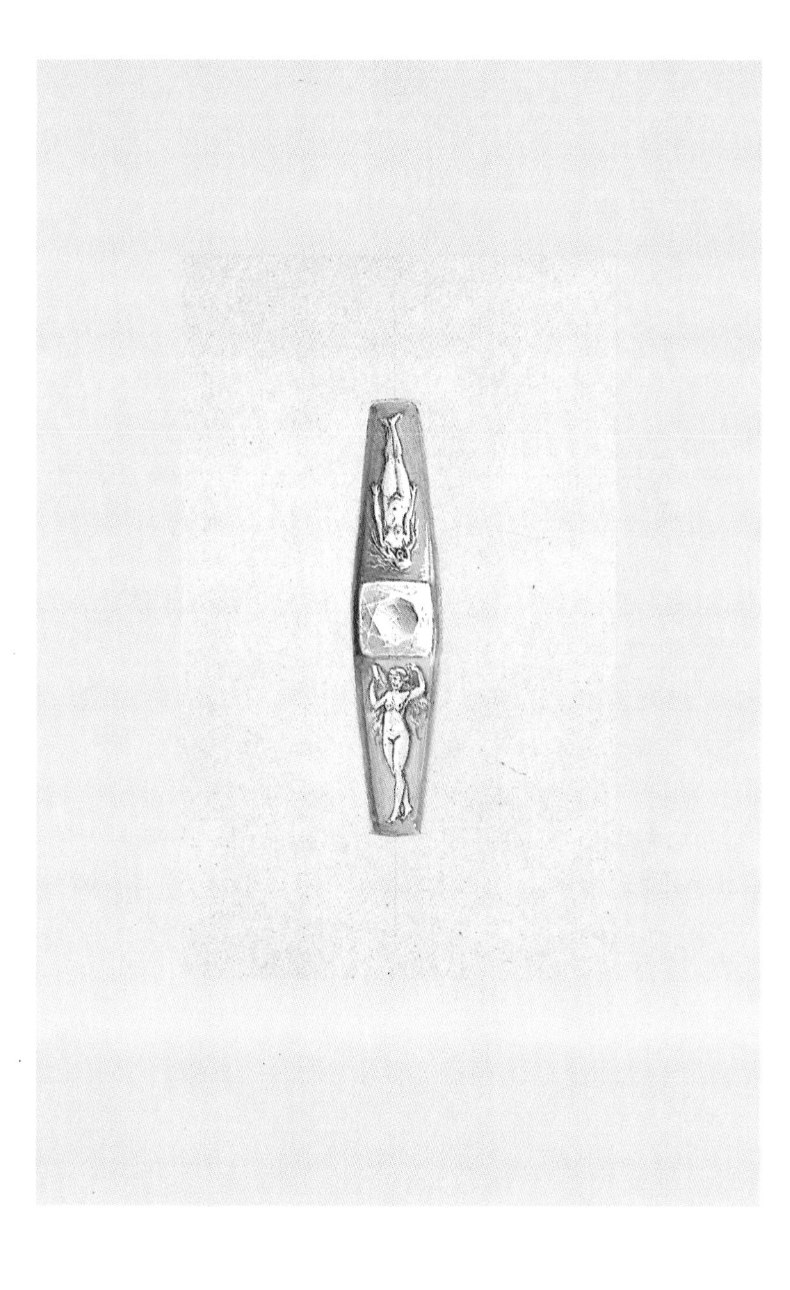

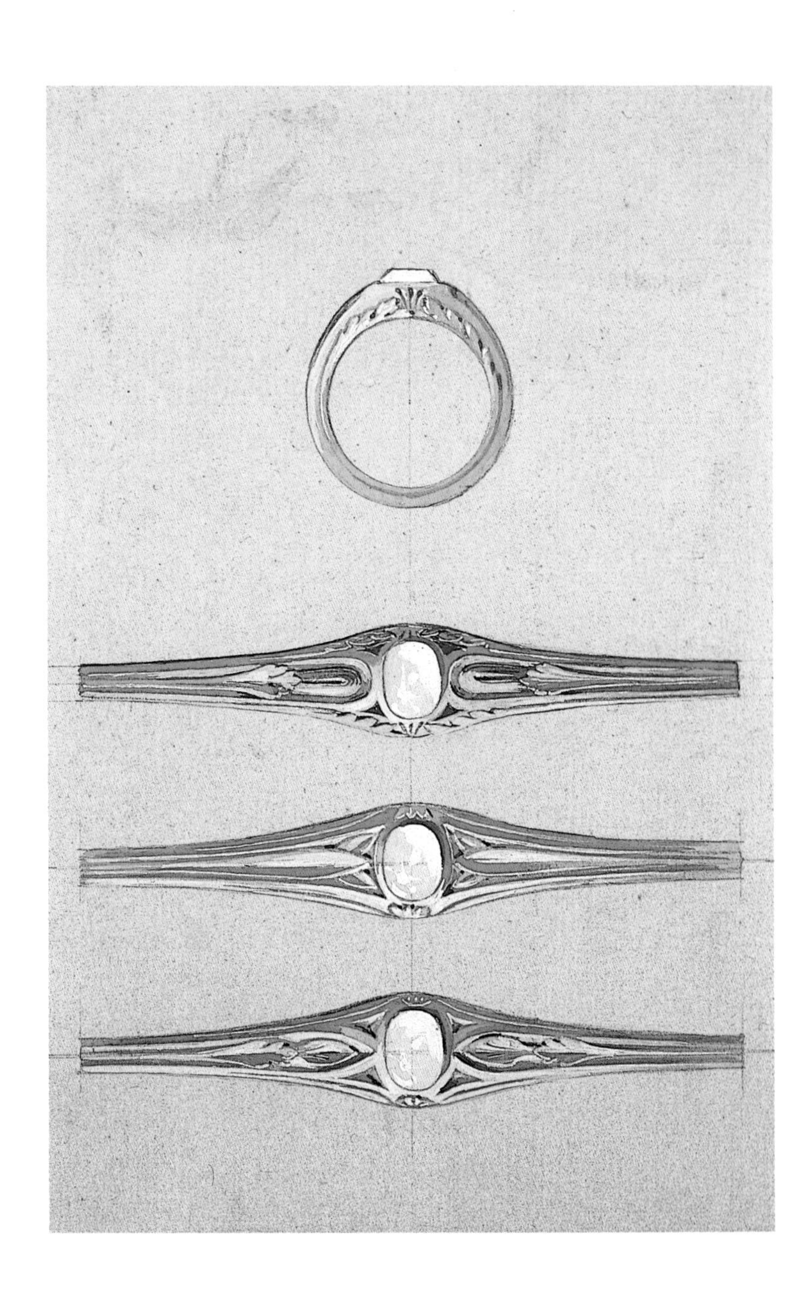

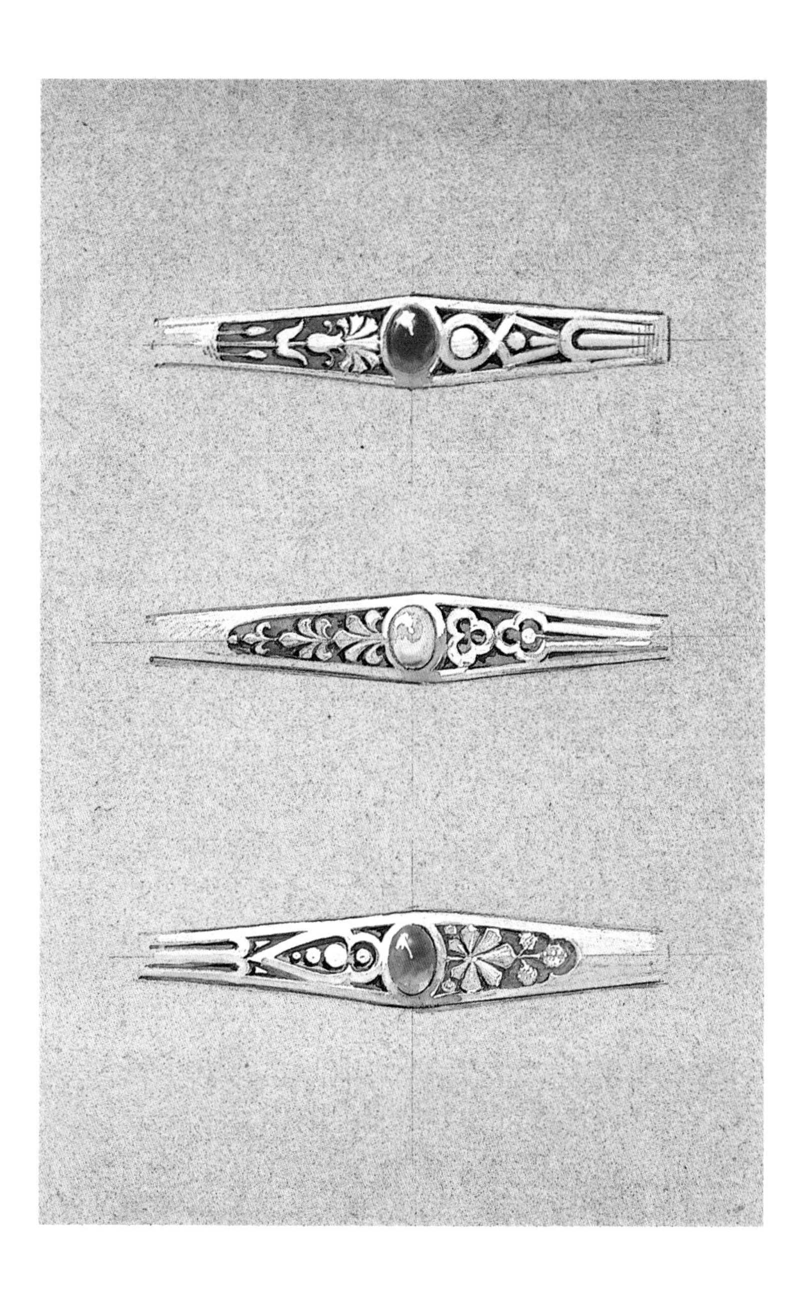

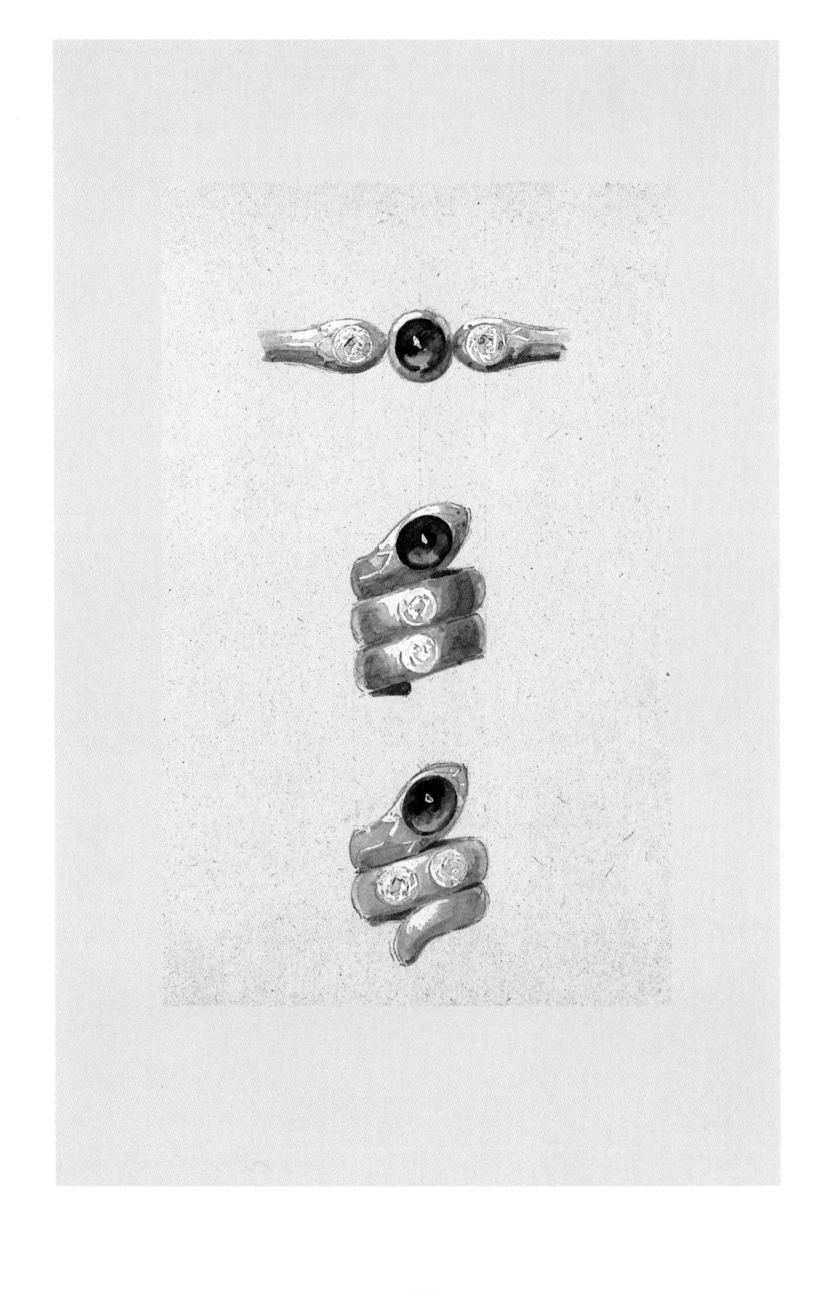

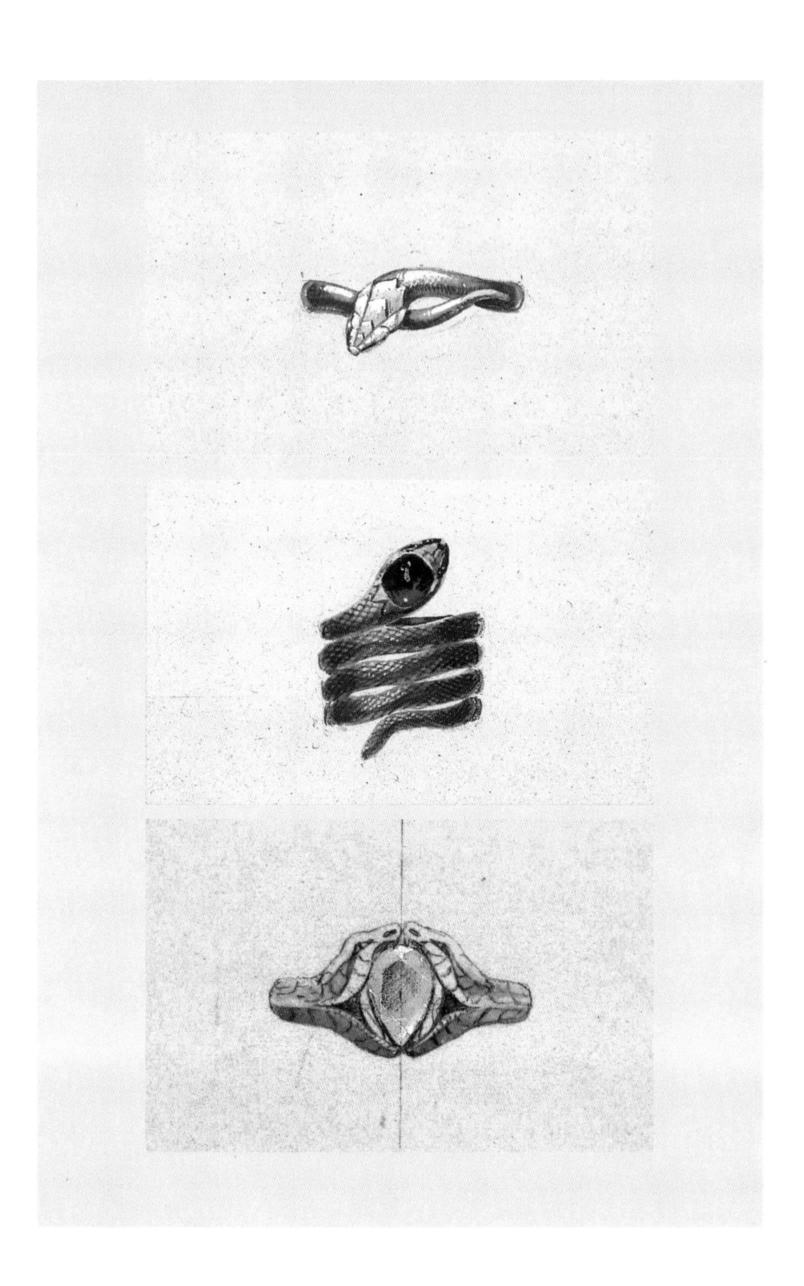

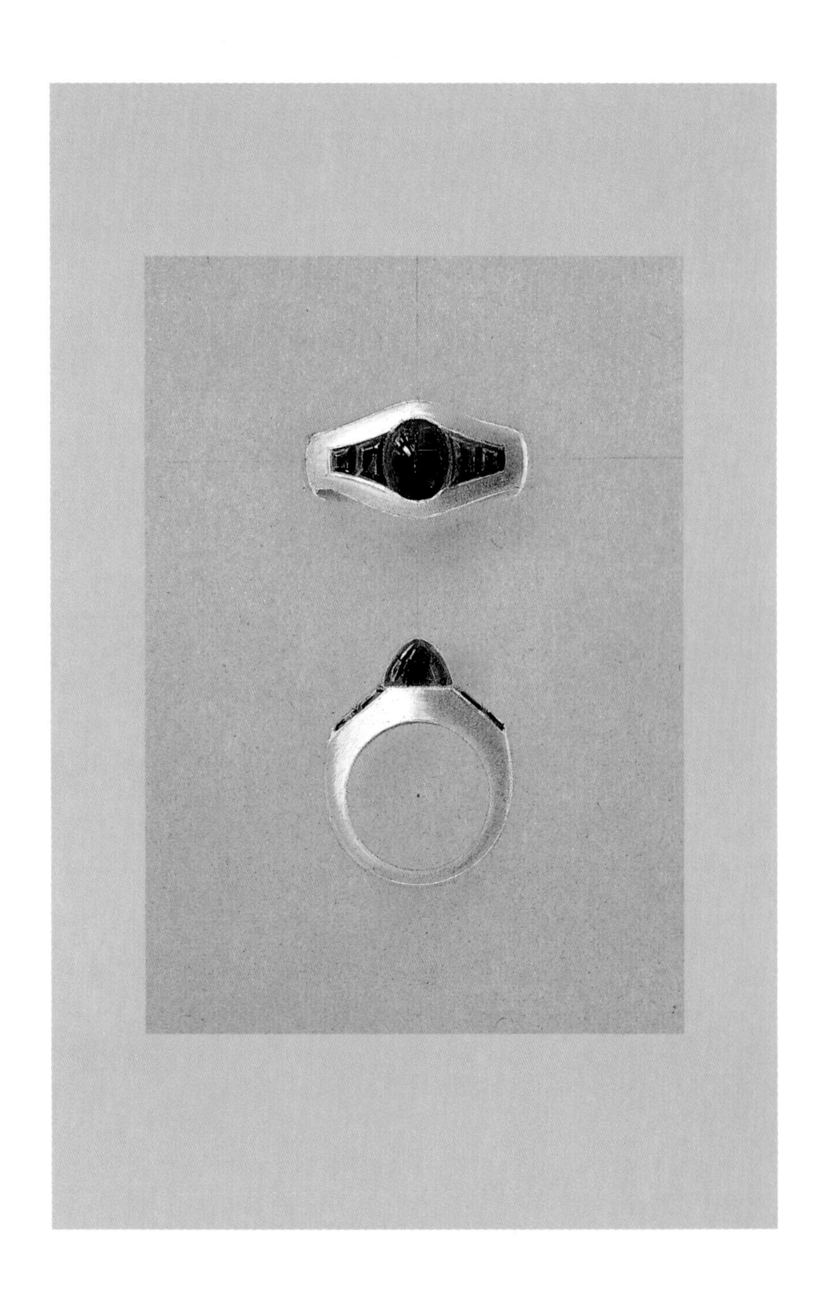

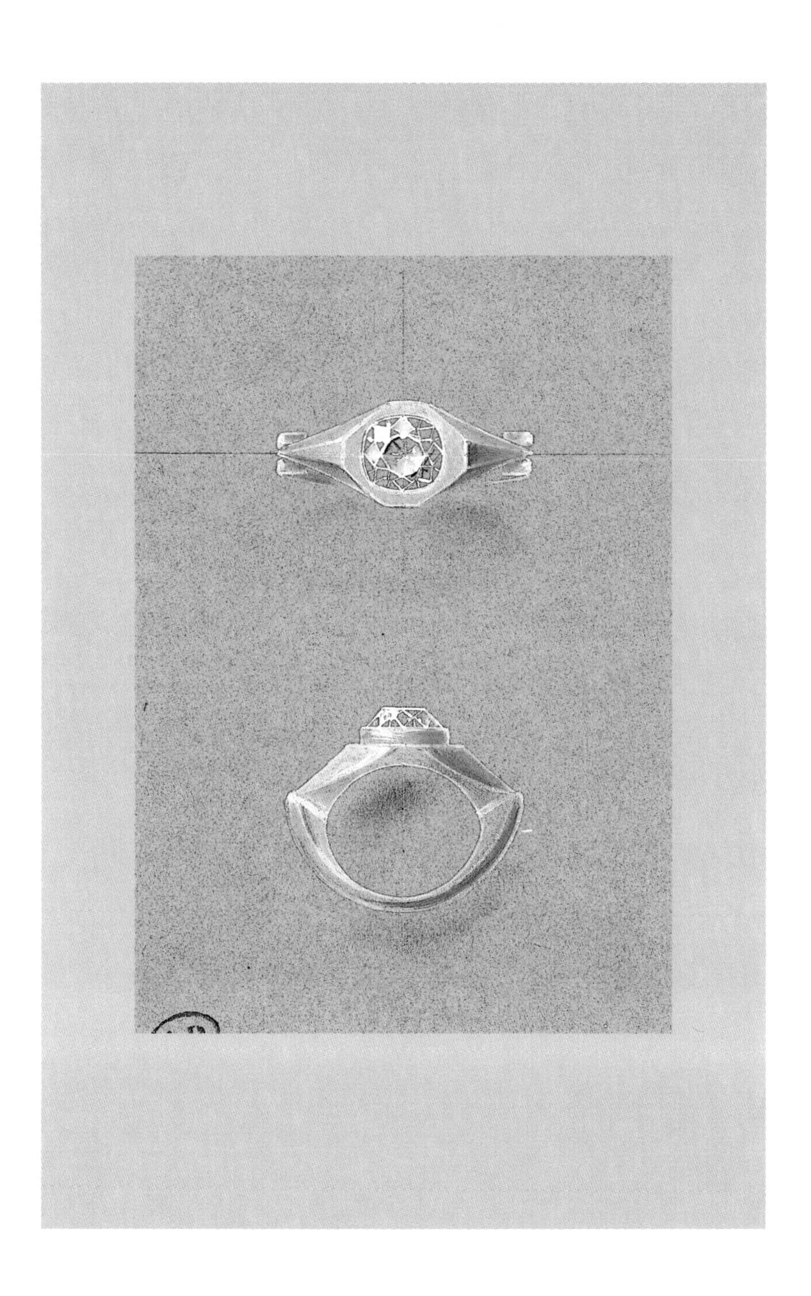

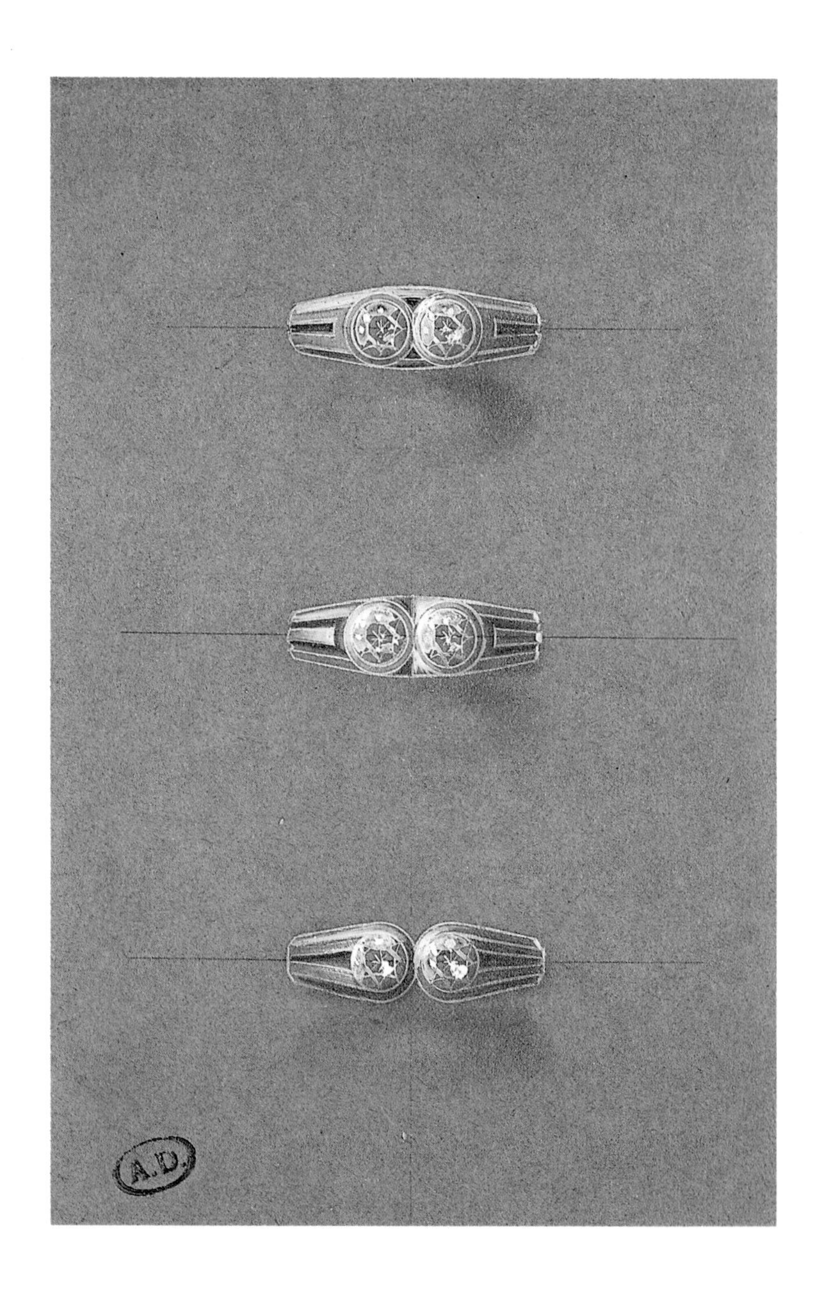
A.D.

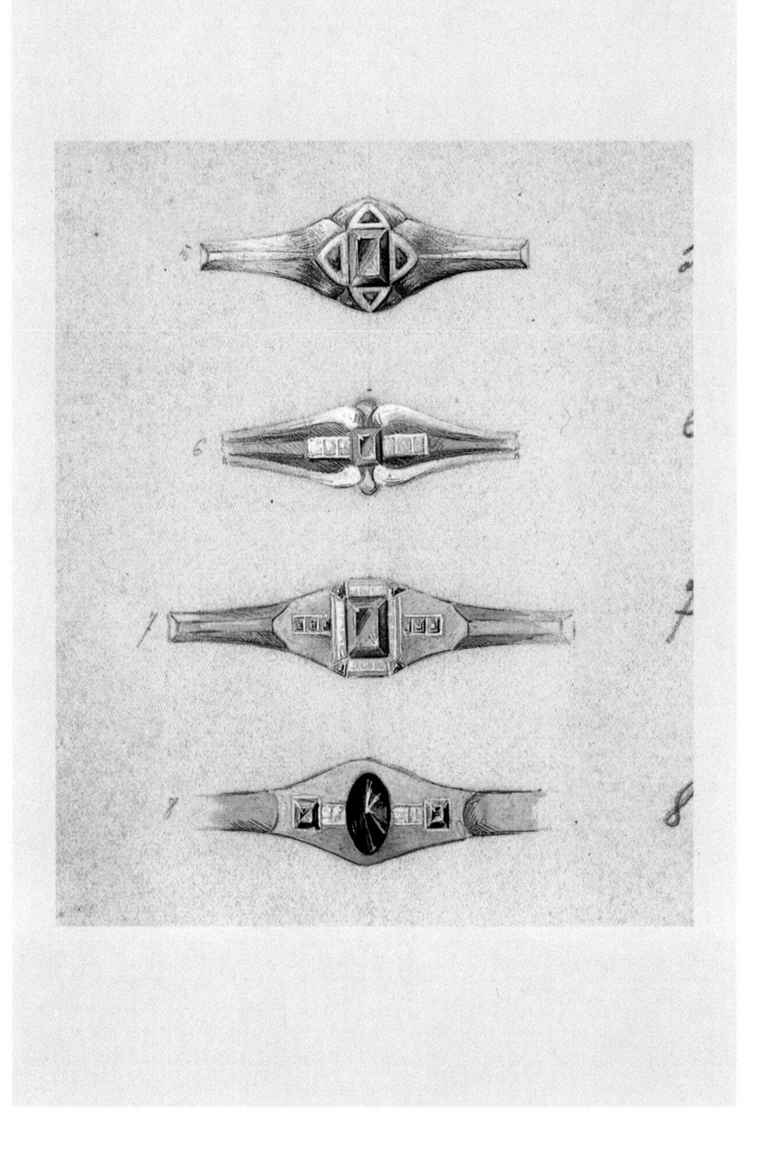

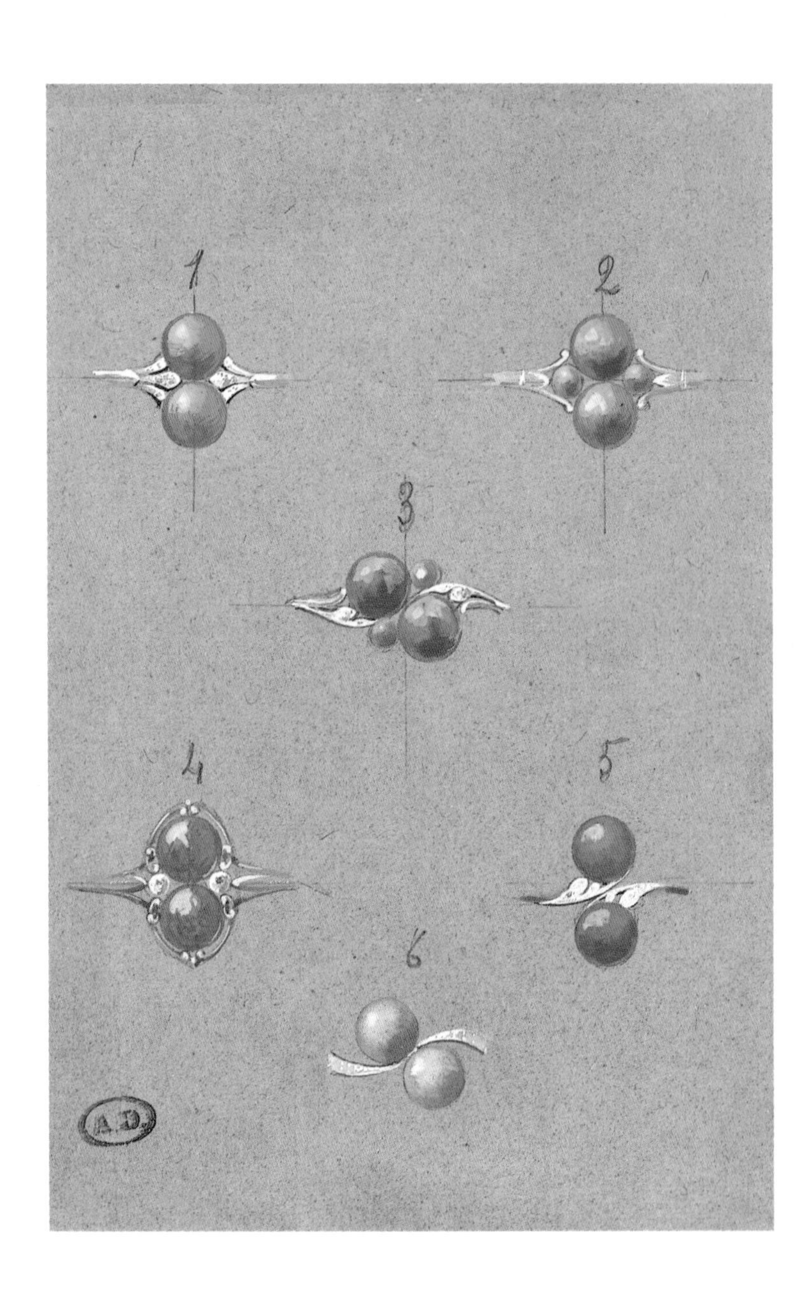
1
2
3
4
5
6
A.D.

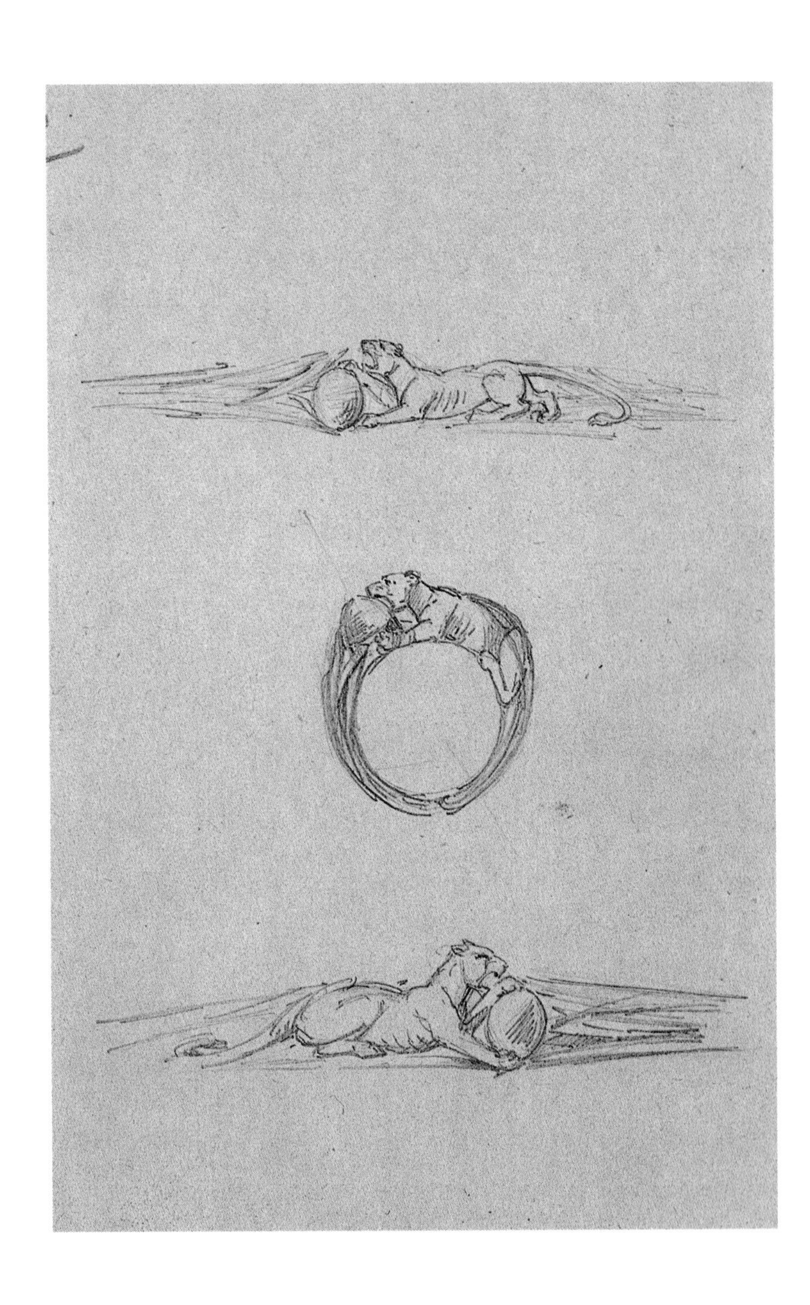

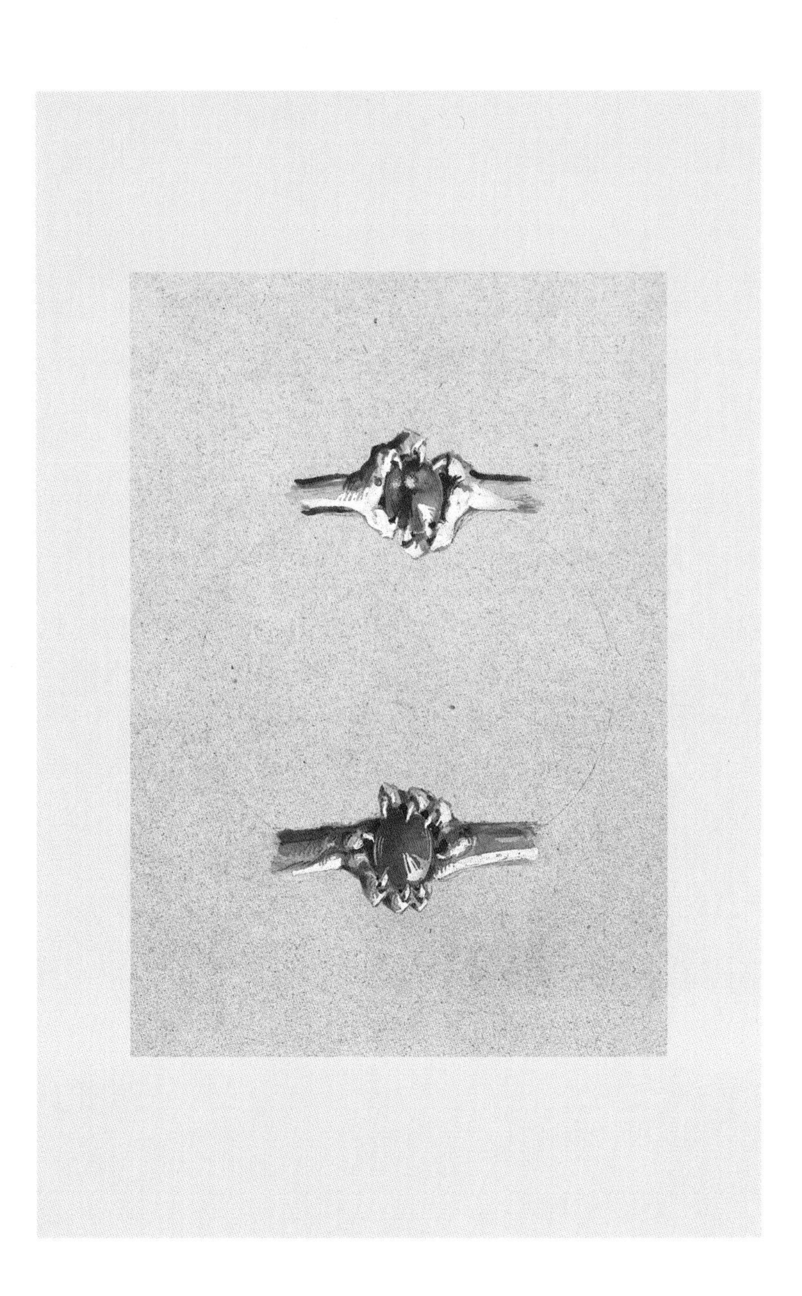

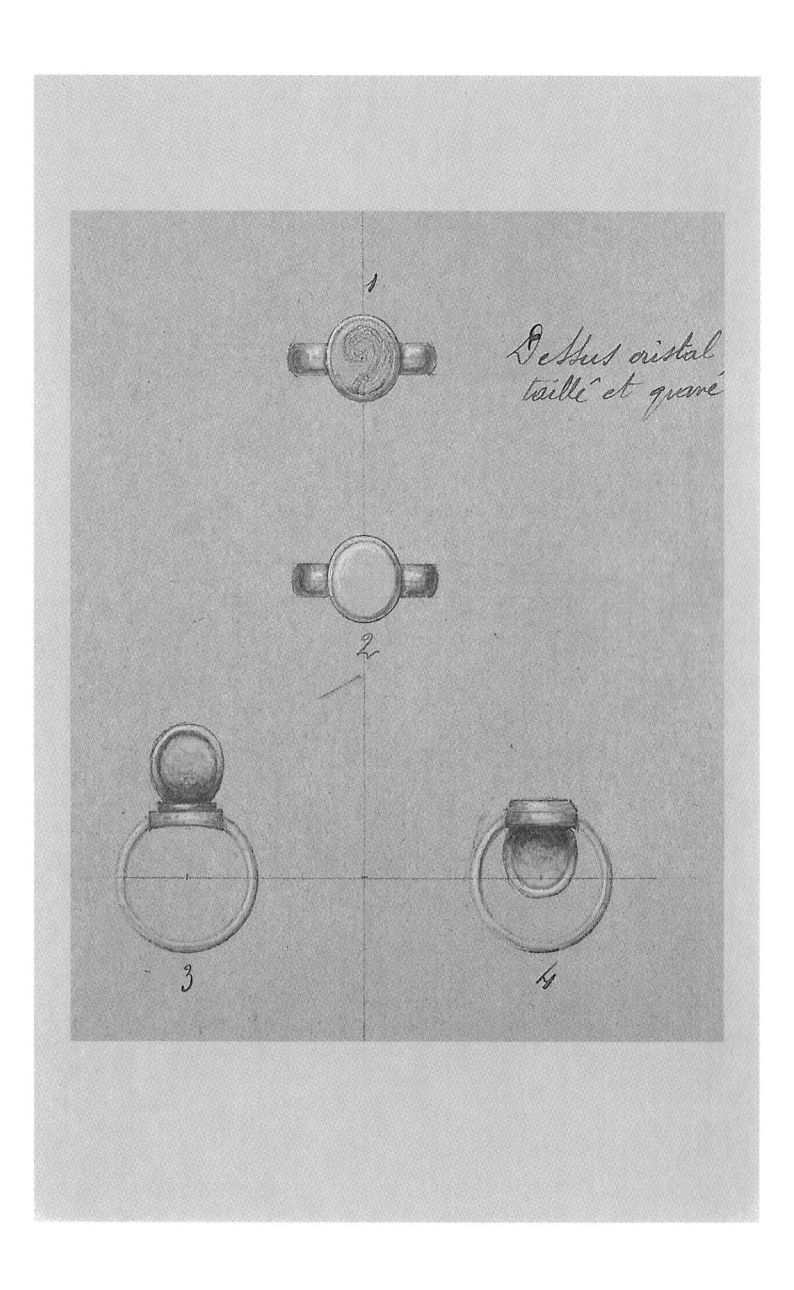
1
Dessus cristal
taillé et gravé
2
3
4

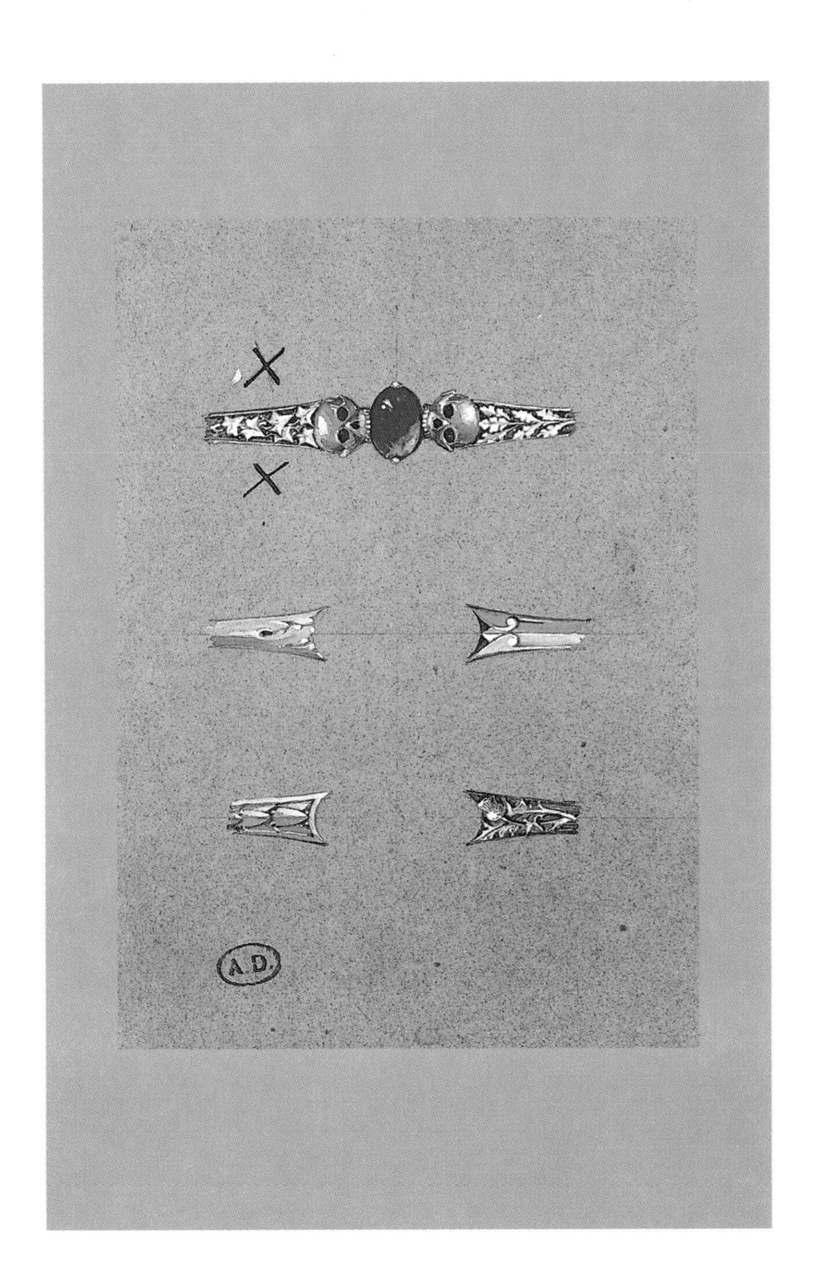
A.D.

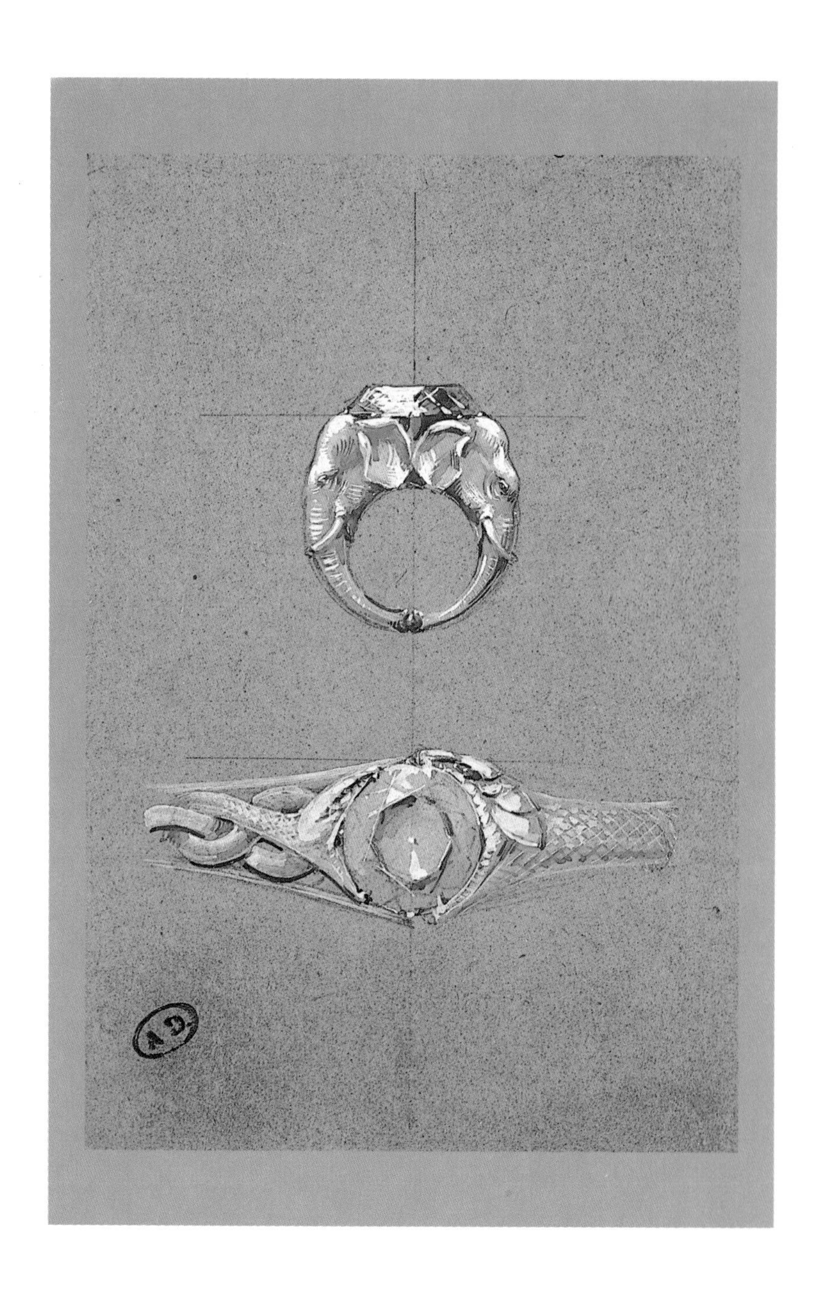

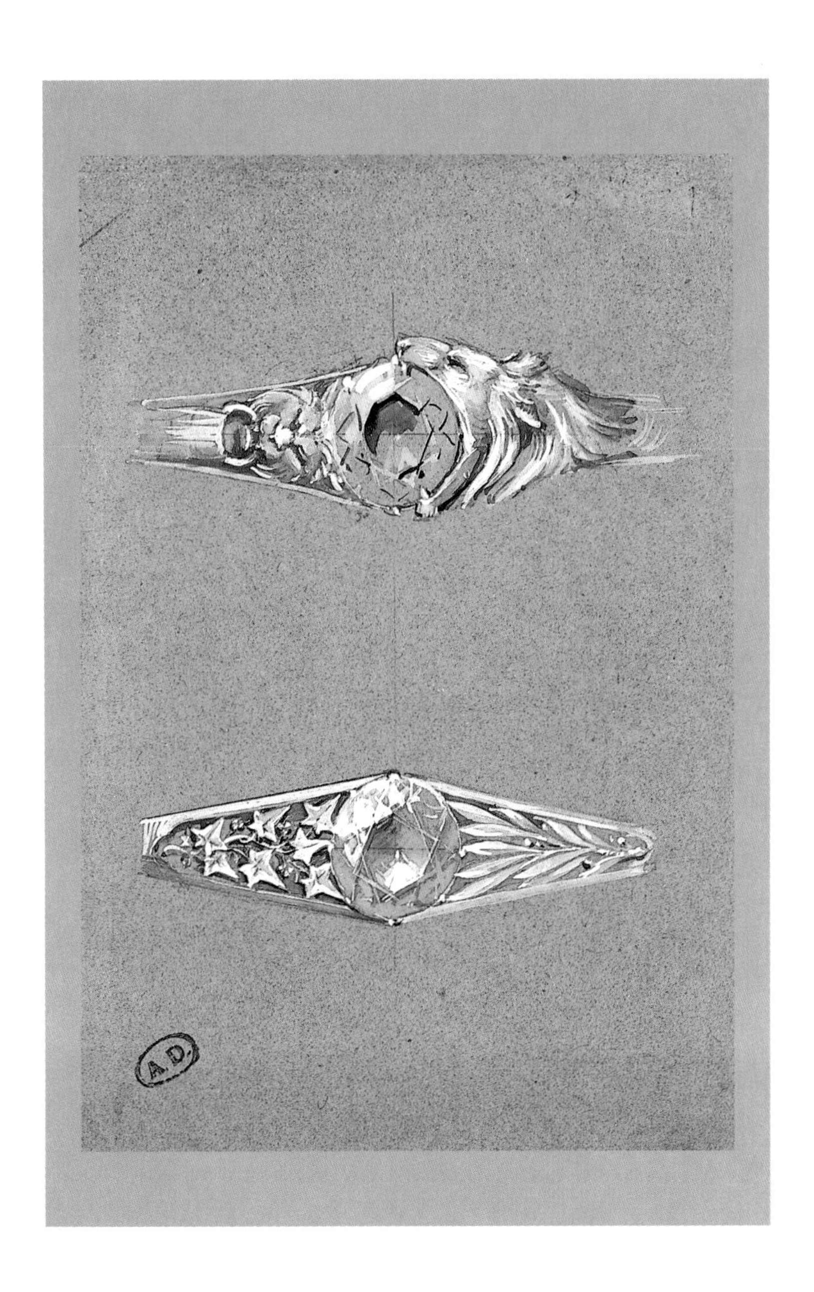
A.D.

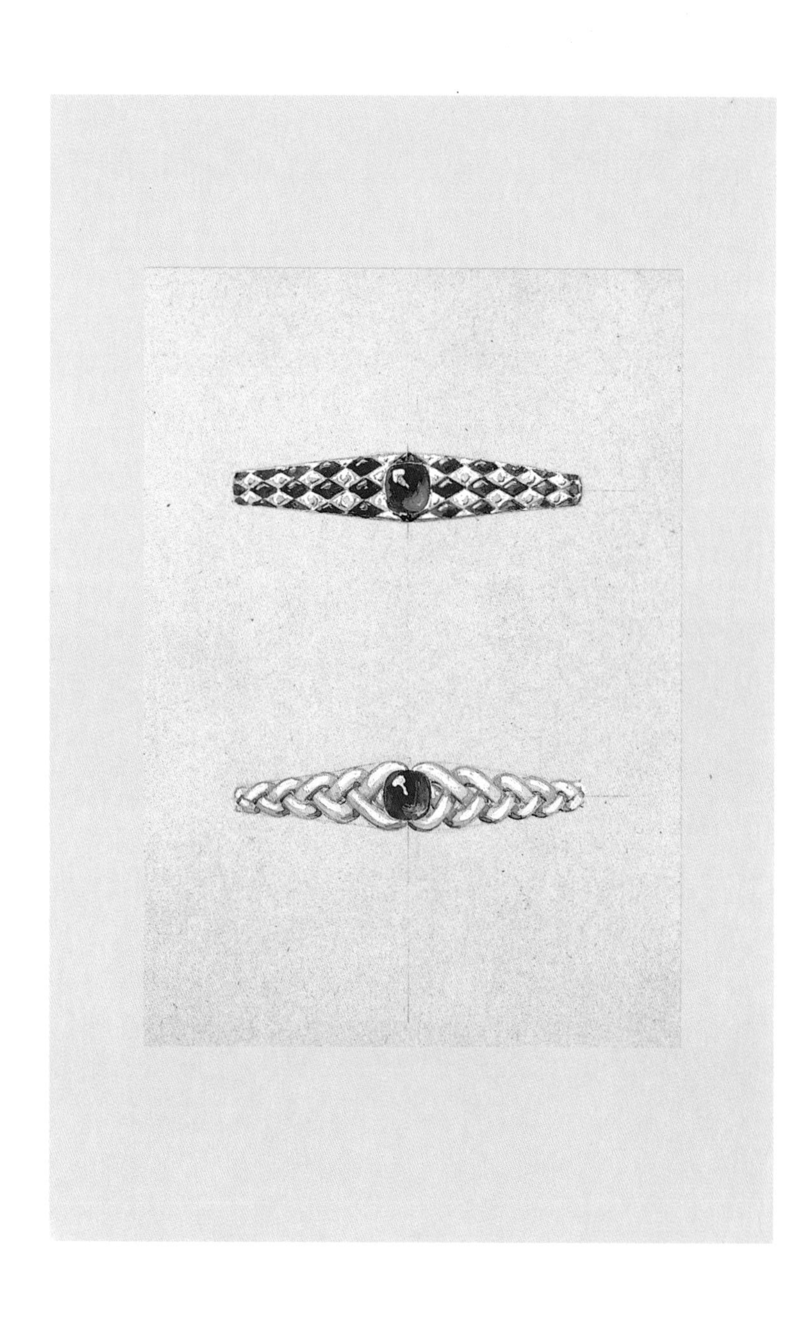

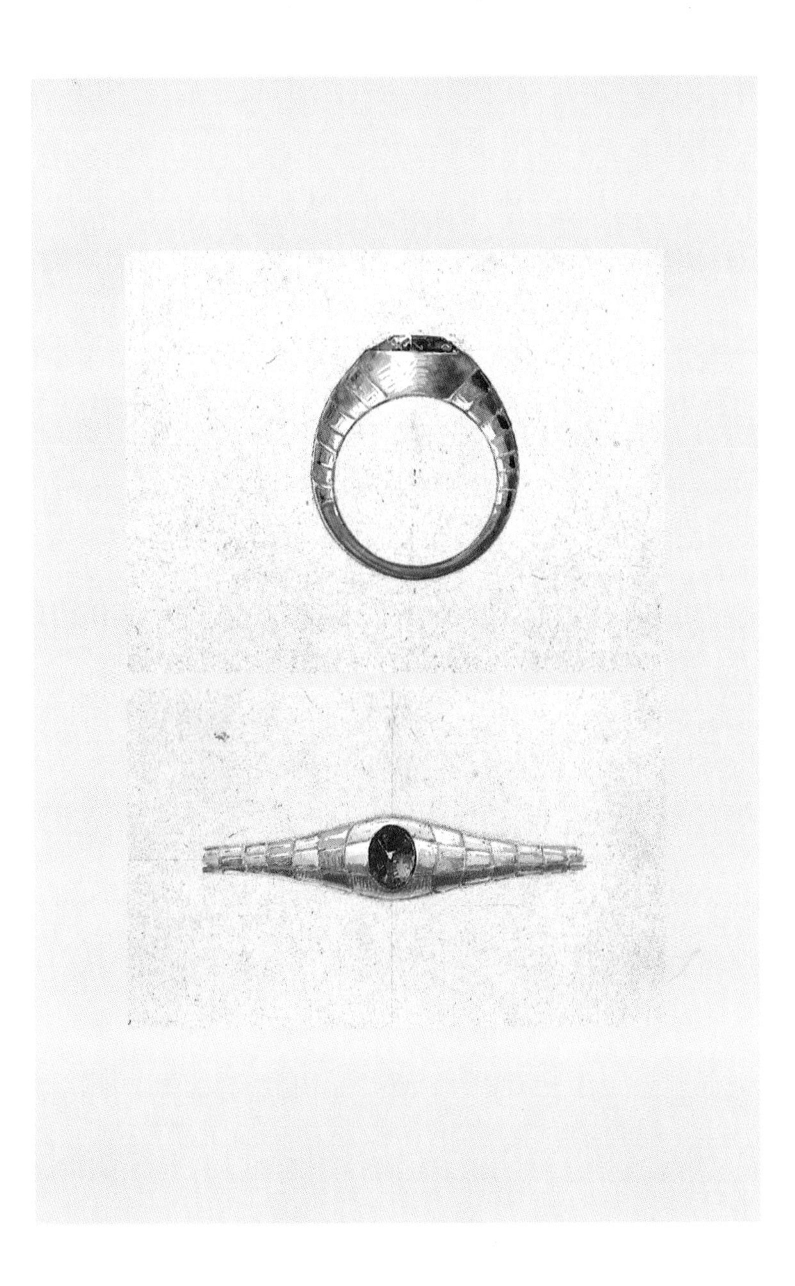

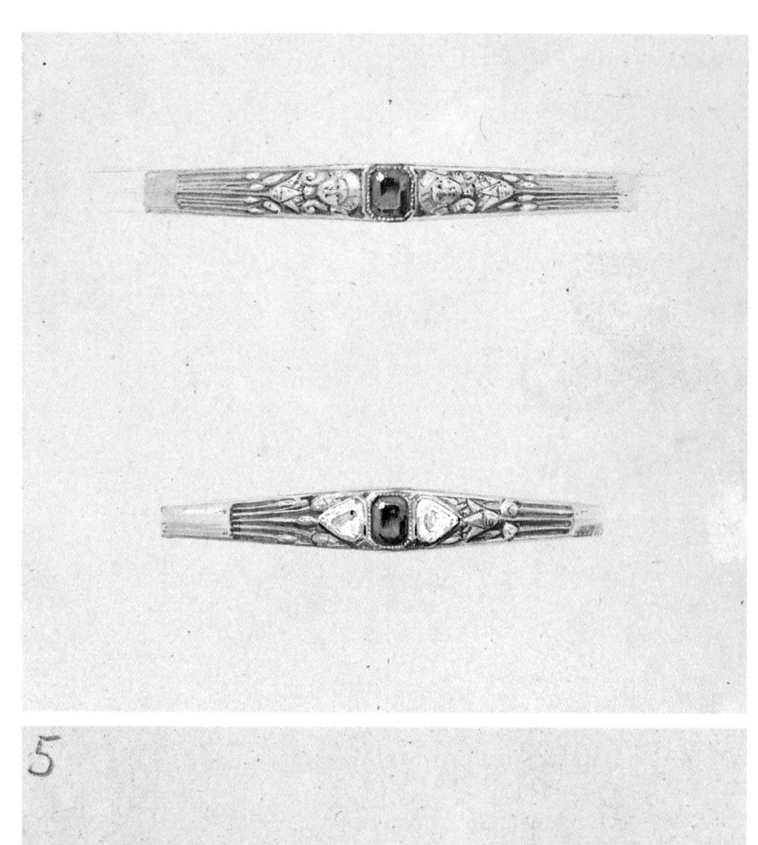

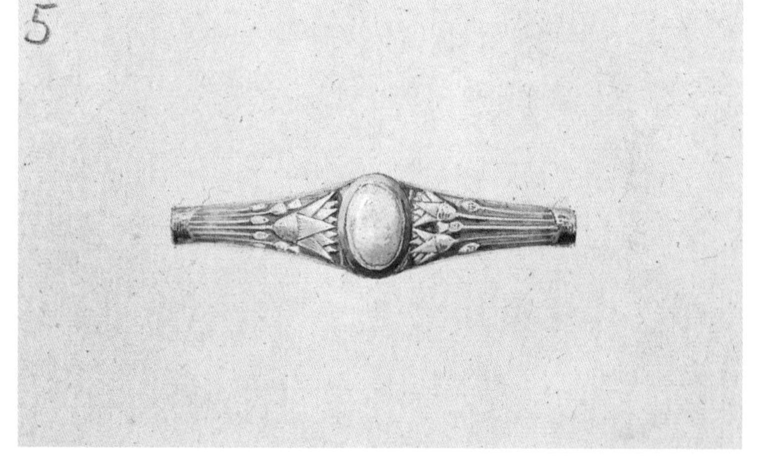
5

LÉGENDES

Avertissement

Les dessins d'anneaux et bagues proviennent d'un des six albums factices de la maison Robin et datent pour la plupart de la seconde moitié du XIXe siècle, les modèles datables sont précisés.
Les dimensions des dessins réalisés grandeur d'exécution ont été légèrement modifiées à la reproduction, les modifications sont mentionnées dans les légendes.
La technique des dessins est l'aquarelle et la gouache sur papier vélin crème ou diversement teinté.

Inventaire no CD 6655

Couverture et gardes : bague d'homme composée de deux femmes nues dont les bras entourent un saphir cabochon serti clos, le motif est représenté en déroulé et de profil. Feuille d'études pour trois bagues d'homme : deux sirènes présentent la pierre du chaton, en bas, l'esquisse au crayon propose une variante avec une sphinge. Reproduit agrandi.

page 5 : deux mains tiennent un cœur de rubis couronné de flammes en diamants. ce motif fait partie des bagues de promesse d'amour dont le modèle qui remonte au XVe siècle se retrouve dans toute l'Europe. Reproduit agrandit.

page 7 : modèles sculptés et bague pour homme vers 1880 à rapprocher, par analogie avec les dessins, des œuvres de Paul Robin, cf. pp. 20-21. Illustration reprise du livre de Vever, III, p. 555 ; la bague ornée de têtes de faunes avec un chaton en chrysobéryl (œil de chat) cabochon est identique à l'une des maquettes, *Inv. 24503 A*. Reproduit agrandi.

page 9 : petites bagues de jeunes filles. Reproduit tel.

page 11 : anneaux plats bordés d'un lien noué sur le dessus. Le modèle du haut a fait l'objet d'une édition réalisée par *Arthus Bertrand* disponible notamment à la boutique du musée des Arts décoratifs. Reproduit légèrement agrandi.

page 13 : serpents enroulés. Reproduit légèrement agrandi.

page 14 : bague-chevalière, tête de cheval de profil dans un fer à cheval, dessin semblable pour des boutons de manchette. Reproduit agrandi.

page 19 : anneau en deux couleurs d'or ciselé de rinceaux de part et d'autre d'un diamant serti clos. Reproduit agrandi.

pages 20-21 : huit bagues forme chevalière ; chacune propose un décor bi-partie de rubans, tresses ou épis stylisés, en platine ou or blanc, les chatons sont formés d'un saphir cabochon, 1880-1900. Reproduit légèrement agrandi.

page 22 : deux sirènes retiennent un diamant dans le creux de leur taille ondulante. Reproduit agrandi.

page 23 : en haut, deux femmes en cariatides supportent une pierre de forme navette ; en bas, profil d'une bague dont l'anneau est formé d'une femme nue soutenant la pierre du chaton. Reproduit légèrement agrandi.

page 24-25 : trois modèles de bague d'homme de forme chevalière en or blanc et jaune ; l'anneau est orné, dans des réserves en creux, de figures féminines de part et d'autre d'un diamant serti clos, 1895-1900. Reproduit tel.

page 26 : quatre variantes pour la monture d'une pierre de lune. Reproduit légèrement agrandi.

page 27 : propositions de décor pour trois anneaux ciselés de fleurs et de feuilles et sertis clos d'opales cabochons. Reproduit tel.

page 28 : bagues d'homme composées d'un serpent d'or, la tête et le corps sertis clos d'émeraudes et de rubis. Reproduit légèrement agrandi.

page 29 : en haut, serpent enroulé, la queue à la gueule ; ce modèle a fait l'objet d'une édition réalisée par *Museum Reproduction*, disponible notamment à la boutique du musée des Arts décoratifs. Au centre, serpent, le corps en spirale, la tête ornée d'un cabochon de rubis. En bas, deux gueules de serpent enserrent une aigue-marine taillée en forme d'amande. Reproduit tel.

page 30 : face et profil d'une chevalière en or blanc ou en platine ornée d'un saphir cabochon et sur l'épaule de l'anneau de saphirs calibrés. Reproduit tel.

page 31 : la forme de cette bague à l'anneau largement évasé est inspirée de celle des bagues de jointure en vogue à la Renaissance. Reproduit tel.

page 32 : projets de monture en or blanc ou platine pour deux diamants jumelés sertis clos. Reproduit légèrement agrandi.

page 33 : bagues fantaisie avec émeraudes et saphirs cabochon. Reproduit tel.

page 34 : divers projets de monture pour deux boules de corail composant des bagues dites « jumelles ». Reproduit légèrement agrandi.

page 35 : bague sertie d'un diamant entouré de rubis calibrés. Reproduit légèrement agrandi.

page 36 : feuille d'études au crayon pour une bague composée d'un félin jouant avec une pierre. Une broche de Jean-Paul Robin, dans le même esprit, avec deux léopards est reproduite par H. Vever, tome II, p. 257 et datée de 1855. Reproduit légèrement agrandi.

page 37 : serres d'aigle tenant une pierre rouge taillée en cabochon, il s'agit d'un motif traditionnel des bagues de la Renaissance. Reproduit tel.

page 38 : plusieurs variantes pour une bague à chaton ouvrant ; le modèle supérieur est annoté : « dessus cristal taillé et gravé » ; derrière le cristal, on devine une petite mèche de cheveux. Reproduit tel.

page 39 : bague formée de deux têtes de mort encadrant un saphir cabochon et propositions de feuillage pour le décor de l'anneau. Ce modèle est l'imitation des bagues souvenir de deuil : « mémento mori » dont le modèle apparaît dès le XIVe siècle. Reproduit tel.

page 40-41 : bagues d'homme. Quatre propositions pour la monture d'un diamant : têtes d'éléphants adossés, têtes de serpents, masque et gueule de lion, feuillages de lierre et de laurier. Dessin annoté « double grandeur ».
Reproduit tel.

page 42 : en haut : anneau pavé de diamants et saphirs en losange ; au centre, un saphir cabochon. En bas : tresse platine ou or blanc retenant un saphir cabochon. Reproduit légèrement réduit.

page 43 : variations sur l'emploi de l'or jaune et de l'or blanc, en bandes et en carrés alternés. Reproduit agrandi.

page 44 : trois modèles de bague à décor de lotus et de figures égyptiennes, les chatons en pierres de couleur. Reproduit en haut agrandi, en bas réduit.

page 45 : bague d'homme : deux sirènes en haut-relief sur l'anneau enlacent un rubis cabochon serti clos ; variante, avec un saphir cabochon, en 4e page de couverture. Reproduit légèrement agrandi.